SOFÍA la CHARLATANA

¡No es fácil encontrar el nombre perfecto!
Mira los otros nombres que Sofía
ha probado...

1: SOFÍA la FABULOSA

2: SOFÍA la HEROÍNA

SOFÍA la CHARLATANA

Lara Bergen

ilustrado por Laura Tallardy

SCHOLASTIC INC.

New York Toronto London Auckland
Sydney Mexico City New Delhi Hong Kong

A Stu, que me mantiene en el
buen camino

Originally published in English as *Sophie the Chatterbox*
Translated by Karina Geada

ISBN 978-0-545-45815-3

Text copyright © 2010 by Lara Bergen.
Illustrations copyright © 2010 by Scholastic Inc.
Translation copyright © 2012 by Scholastic Inc.

12 11 10 9 8 7 6 5 4 3 2 1   12 13 14 15 16 17/0

Printed in the U.S.A.   40
First Spanish printing, September 2012
Designed by Tim Hall

CAPÍTULO 1

¡Sofía estaba muy feliz! Y no solo porque iba a ir a una excursión. (Y ella realmente adoraba las excursiones). También estaba feliz porque tenía el nombre perfecto. Un nombre que la hacía especial. ¡Un nombre que lo decía todo!

—Nunca más me llames Sofía M. ¡Llámame simplemente "Sofía la Honesta"! —le dijo a su mejor amiga, Kate Barry, mientras subía al autobús.

El salón de tercer grado de la Sra. Moffly iba a visitar el lugar donde nació George Washington, y Sofía pensaba que era maravilloso que algo tan especial hubiera sucedido cerca de Ordinary, el pueblo de Virginia donde ella vivía.

A veces Sofía pensaba que Ordinary era el lugar más aburrido del mundo.

Hasta llegó a pensar que también ella era la niña más aburrida del mundo.

¡Pero ya no más!

Desde el día en que le dijo a la Sra. Moffly la verdad sobre la serpiente que tomó del salón de quinto grado, estaba segura de que era la niña más honesta de la clase. ¡Y posiblemente de toda la escuela!

—Por cierto, Kate —continuó—, ¿te había dicho, *honestamente*, que eres mi mejor amiga?

—¡Tú también! —respondió Kate sonriendo.

Sofía le agarró la mano a su amiga y la arrastró por el pasillo hasta la última fila del autobús. Ese era su lugar preferido para sentarse, sobre todo porque era allí donde más se sentían los baches de la carretera.

Pero encontró un problema al llegar a esa fila.

Los últimos asientos ya estaban ocupados, y nada más y nada menos que por Toby y Archie.

Toby Myers y Archie Dolan eran los chicos más pesados del aula. Sofía lo sabía a ciencia cierta. Eran unos escandalosos y Asquerosos ("asquerosos" con mayúscula). Y se habían sentado allí sabiendo que aquellos eran los asientos favoritos de Sofía y Kate.

¡Por eso eran todavía más pesados!

Claro que Sofía estaba acostumbrada a sus pesadeces. Toby siempre la molestaba. Y aunque, por lo general, ella hacía como que no le importaba, ese día no pudo dejarlo pasar. ¡Después de todo, ella era Sofía la Honesta!

—Tengo que ser honesta —le dijo a Toby—. Estoy muy enfadada.

—¡Qué bueno! —respondió Toby con una sonrisa enorme, y luego le sacó la lengua.

Archie también sonrió. Pero Sofía todavía no lo había dicho todo con honestidad.

—Además, tengo deseos de pellizcarte —agregó.

Toby frunció el ceño y cruzó los brazos.

—Pero no lo haré —continuó Sofía—, porque no quiero meterme en problemas como la última vez. En lugar de eso, me voy a sentar a tu lado y Kate se va a sentar junto a Archie.

—¿Yo? —preguntó Kate.

—¿Ustedes? —preguntaron Toby y Archie.

—Sí —le contestó Sofía a Kate, ignorando la pregunta de los chicos—, aunque no nos guste. Nos sentaremos aquí porque hay espacio, porque yo sé que a ellos les va a molestar y porque si no nos dejan se lo diré a la Sra. Moffly —agregó sonriendo—, y ella hará que se levanten.

Luego se sentó junto a Toby... y le sacó la lengua.

—¡Huy, grosera! ¡Piojosas! —gritó Toby. Saltó del asiento y miró a Archie—. ¡Vamos, muévete! ¡Mientras más lejos de *ellas*, mejor!

En un minuto, Sofía y Kate no solo lograron recuperar su puesto al final del autobús... ¡sino también dos asientos! Entonces, como buenas amigas, se sentaron juntas.

—Me gusta que seas "Sofía la Honesta" —dijo

Kate. Las chicas chocaron los cinco—. Pero, ¿puedo ser honesta? —añadió Kate haciendo una mueca.

—¡Por supuesto! —dijo Sofía un poco sorprendida.

—El problema es que "Sofía la Honesta"... No sé... Me suena un poco aburrido. ¿A ti no?

—Bueno, no... —respondió Sofía, y luego suspiró—. Quizás, sí, un poco.

Honestamente, ella sabía que Kate tenía razón. Ese nombre no sonaba tan emocionante como "Sofía la Fabulosa" o "Sofía la Heroína". (Pero, desafortunadamente, esos nombres no funcionaron como ella esperaba).

"Sofía la Honesta" era un buen nombre. La hacía especial. ¡Y esa era la idea!

Además, todavía podía usar la camiseta que hizo para Sofía la Heroína con la *H* enorme en el frente. ¡La *H* también podía ser de "Honesta"! Y eso le convenía porque su mamá le había prohibido dibujar más camisetas.

—Quizás no suene tan emocionante. Pero es

importante —dijo Sofía—. ¡Piensa en George Washington, por ejemplo!

—¿Qué quieres decir? —preguntó Kate.

—¿Por qué crees que se hizo famoso?

—¿Porque fue el primer presidente de Estados Unidos? —trató de adivinar Kate.

—No —contestó Sofía moviendo la cabeza—. ¡Porque fue un hombre honesto! ¿Recuerdas cuando tumbó el cerezo de su padre y este le preguntó qué había pasado? George Washington le respondió: "No te puedo mentir. Yo lo hice".

—Cierto —respondió Kate—. ¿Tú crees que de ese árbol se hizo los dientes de madera que dicen que tenía?

Sofía se encogió de hombros.

—No lo sé. Pero eso no importa. El hecho es que la historia muestra lo importante que es decir la verdad. ¡Te apuesto a que nos hablarán sobre esto en la excursión!

—Puede ser —dijo Kate poco convencida.

—¿Qué? —dijo Sofía.

—Bueno —dijo Kate—, tienes razón. Es importante decir la verdad. ¿Pero realmente crees que sea tan importante? O sea, cualquiera puede decir la verdad.

—¿Pero cualquiera puede decir la verdad *todo* el tiempo? —preguntó Sofía haciendo una mueca y poniendo los ojos en blanco—. ¿Dirías siempre la verdad sin importar las *consecuencias*?

Sofía sabía que esa era una pregunta difícil. Ni a su amiga ni a ella les gustaban mucho las *consecuencias*.

Sofía se puso de pie y gritó a toda voz:

—Yo no digo mentiras. Tiré al piso una cáscara de banana en la cafetería. ¡Y lo hice a propósito!

Se volvió a sentar junto a Kate y le guiñó un ojo.

Fue entonces cuando escuchó la voz de la profesora.

—¿Quién dijo eso? —preguntó la Sra. Moffly.

Sofía volvió a ponerse de pie y levantó la mano.

—¡Yo!

—Sofía Miller —dijo la Sra. Moffly desde las primeras filas del autobús.

"¡Ay, no!"

Junto a la maestra estaban la mamá de Grace y el papá de Sydney. Ellos eran los chaperones de la excursión y la miraban molestos, con los brazos cruzados y negando con la cabeza.

Todos los chicos del aula se habían volteado y la miraban fijamente.

—Debo confesar que me has sorprendido —dijo la Sra. Moffly—. Si es cierto lo que dices, lo que hiciste tendrá consecuencias. ¿No te parece?

Sofía asintió con la cabeza. ¡Vengan las consecuencias!

—Sí, Sra. Moffly —contestó.

—Mañana no saldrás al recreo —dijo la profesora—. Ahora siéntense todos que ya nos vamos.

Sofía suspiró y se sentó. ¿Sin recreo? ¡Eso sí que iba a ser difícil! La verdad es que no había contado con esa *consecuencia*.

—¿Ves? —dijo mirando a Kate—. ¡No es fácil ser honesta!

—Definitivamente, tú eres Sofía la Honesta

—respondió su amiga dándole unas palmaditas en la espalda.

El autobús arrancó y todos comenzaron a cantar, menos Sofía y Kate. Sofía no soportaba esas canciones, además esa consecuencia de quedarse sin recreo todavía le daba vueltas en la cabeza.

Pero, sobre todo, tenía muchas cosas que contarle a Kate sobre su nuevo nombre.

—¿Adivina qué? Yo soy tan honesta que les conté a mi mamá y mi papá que tomé la serpiente del salón de quinto grado. Y se lo dije antes de que mi hermana Hayley se lo contara —dijo Sofía.

Kate la miró sorprendida.

—Y te metiste en tremendo problema, ¿no? —le dijo.

—¡No! Eso fue lo mejor de todo —respondió Sofía sonriendo—. Mis padres estaban tan orgullosos de mi honestidad que ni me castigaron ni nada... ¡Hicieron lo mismo que el padre de George Washington!

Pero eso no fue todo lo que Sofía les había dicho

a sus papás. También les contó lo que hacía cada vez que le servían calabaza: ¡la pegaba debajo de la mesa del comedor!

—¡No te creo! —dijo Kate—. ¿Y les dijiste lo del sótano? ¿Les contaste por qué apestaba? ¿Les dijiste que estábamos haciendo experimentos?

—Ah... —dijo Sofía. Eso se le había olvidado—. No, eso no se lo he contado todavía.

—¿Y lo de las medias de tu mamá? ¿Las que usamos para jugar al desfile de modas? ¿Le confesaste que no fue Puntillas quien las rompió sino nosotras? —preguntó Kate.

—Esto... no —contestó Sofía.

Y en realidad tampoco quería contárselo. Puntillas era una gata y no le iba a pasar nada. Pero ella sí podía meterse en problemas.

Aunque si de verdad iba a ser honesta, no le podían importar las consecuencias.

—Pero se lo voy a decir —añadió—. ¡Claro que lo haré! ¡Te lo prometo!

A partir de ahora, ella sería total y absolutamente honesta, tal y como lo indicaba su nuevo nombre.

Y para ser total y absolutamente honesta, estaba comenzando a sentir un poco de hambre.

Agarró su bolso de la merienda.

—¿Qué me habrá puesto mi mamá? —dijo.

Abrió el bolso y al momento olió lo que había.

Alguien, dos asientos más adelante, también sintió el olor.

—¡Huy! ¡Qué asco! —chilló Mindy VonBoffmann tapándose la nariz.

—Rápido, abre la ventanilla —le dijo Sofía a Kate cerrando el bolso de la merienda.

Pero era demasiado tarde. Lily Lemley, la mejor amiga de Mindy, también se tapó la nariz.

—¡Huy! —gritó Lily—. ¡Qué asco!

—¿Quién trajo ensalada de huevo? —preguntó Mindy.

Kate miró a Sofía. Sofía miró a Kate, y levantó la mano.

—Este... yo —dijo honestamente.

Todos en el autobús comenzaron a murmurar.

—¡Llegamos! —dijo la Sra. Moffly.

"¡Menos mal!", pensó Sofía.

CAPÍTULO 2

Una mujer les dio la bienvenida a los chicos en cuanto se bajaron del autobús. Sofía sabía que era una guardabosques antes de que se presentara por el tipo de sombrero que llevaba.

—¡Hola! Soy la guía Fawn —dijo la mujer con una enorme sonrisa—. Bienvenidos a Popes Creek, mejor conocido como el lugar donde nació George Washington. ¿Alguno de ustedes había estado antes aquí?

Mindy levantó la mano. Por supuesto. A ella siempre le gustaba presumir que había hecho algo (aunque no fuera verdad).

La mayoría de los chicos negó con la cabeza.

—Yo no —dijo Sofía honestamente—. Mi mamá quiso venir una vez, pero mi papá dijo que le parecía un lugar muy aburrido. Y a mi hermanito Max ya no le gusta salir en su coche. La última vez que fuimos a pasear, comenzó a saltar en una cama vieja y nos metimos en tremendo problema. Por eso preferimos quedarnos en casa jugando a algo que no nos aburra... y así Max puede saltar todo lo que quiera.

—¡Caramba! —dijo la guía Fawn—. ¡Pero si tenemos una charlatana en el grupo!

Toby soltó una carcajada. Sofía oyó aquello claramente. Y la risa de Archie, de Mindy y de Lily. Y la de todos los de su salón.

Le entraron deseos de decirle a la guía que ella no era una charlatana sino una niña honesta y que por eso le decían Sofía la Honesta, pero la guía Fawn ya les había dado la espalda.

—¡Listos, comencemos! —dijo la guía.

Los condujo por un camino que bordeaba un

río y que estaba lleno de enormes árboles y cercas de madera. Detrás de las cercas había ovejas y vacas. También había pequeños edificios blancos y una casa grande de ladrillos. Pero la guía siguió de largo, hasta llegar a un grupo de piedras blancas alineadas en la tierra.

—Aquí estaba la casa donde nació George Washington —dijo.

—¿Eh? —dijo Sofía—. Usted querrá decir *allí* —agregó, señalando la casa de ladrillos—. Y a propósito, yo no soy ninguna charlatana. Lo que soy es honesta.

—Sofía —dijo la Sra. Moffly, que estaba detrás del grupo—, dejemos que termine de hablar y luego le hacemos preguntas.

—No tiene importancia —dijo la guía con una enorme sonrisa—. *Honestamente*, me alegro de que haya hecho esa pregunta. En realidad, aquella no es la casa de George Washington. Esa fue construida después, y aunque así no era exactamente la original, pueden hacerse una idea de cómo lucía.

—¿Y por qué no nos muestra la casa real de George Washington? —preguntó Sofía con el ceño fruncido.

—Porque la casa real se incendió en 1779 —explicó la guía—. Lo único que queda de la casa original de George Washington son estas marcas que hicimos en la tierra —dijo, señalando la línea de piedras blancas.

La otra Sofía del aula, Sofía A., preguntó:

—¿Y le pasó algo a George Washington en el incendio?

—No —respondió la guía Fawn—. De hecho, ya no vivía aquí cuando la casa se incendió. En aquel entonces lideraba un ejército en la Guerra de Independencia. Pero eso no fue lo primero que hizo. ¿Alguien sabe cuál fue su primer trabajo?

Mindy fue la primera en levantar la mano. Por supuesto.

—¡Presidente! —dijo.

—Buena respuesta, pero no. Eso fue después. George Washington era agrimensor. ¿Quién sabe qué quiere decir eso? —preguntó la guía.

Mindy volvió a levantar la mano. Abrió la boca como para decir algo... y la volvió a cerrar.

—Humm... No sé —respondió.

—¿Alguien sabe? —preguntó la guía nuevamente.

—No tengo idea —contestó Sofía.

—Pues los agrimensores miden áreas de tierra —explicó la guía—, y George Washington aprendió a realizar ese trabajo cuando tenía apenas quince años. Y una de las primeras áreas que midió fue esta sobre la que estamos parados.

Sofía bostezó y se recostó sobre Kate.

—Mi papá tenía razón. Esto es aburrido.

—Disculpa, ¿qué dijiste? —le preguntó la guía Fawn a Sofía.

Sofía se mordió el labio. No quería responder, pero no tenía ninguna opción. Suspiró.

—Humm... que mi papá tenía razón. Esto es aburrido. Disculpe —añadió rápidamente.

—Pero Sofía —dijo la Sra. Moffly.

Sofía contuvo la respiración y se preguntó si la guía se enojaría por lo que había dicho.

—¿Sabes qué? ¡Tienes razón! Aquí hay muchísimas cosas divertidas para ver. ¡Sigamos el recorrido! —dijo la guía Fawn, y comenzó a caminar.

Los chicos fueron tras ella.

Eve saltó al lado de Sofía.

—¡Gracias! No me atreví a abrir la boca, pero esto se estaba poniendo aburrido —dijo.

—¡Es verdad! —agregó Mia.

—No hay de qué. ¡Solamente llámenme Sofía la Honesta! —dijo Sofía sonriendo.

Avanzaron por un camino de ladrillos que conducía a los pequeños edificios. Las puertas eran grandes, sin embargo, como las de un establo. Y si alguien le hubiera preguntado a Sofía, habría dicho que todo estaba muy desordenado.

—Se parece al taller de mi papá —dijo en voz alta.

La guía se rió.

—¡Bueno, es que es un taller! —respondió—. Aquí trabajaban los herreros y carpinteros. Como ven, esta granja era como un pueblito. Todo lo que necesitaban sus habitantes tenían que hacerlo ellos mismos.

—¿Los televisores también? —preguntó Dean.

Sofía sabía que a Dean le fascinaba la televisión. Se pasaba todo el tiempo hablando de algún programa.

—No tanto —contestó la guía Fawn—, porque en aquel entonces todavía no existía la televisión.

—¡Qué mala suerte! —dijo Dean.

Pero sí existían clavos, ganchos, cajas, cubos y cestas. La guía tomó algunos objetos y se los mostró a los chicos. También los llevó a conocer los edificios donde se hacían otras labores de la granja.

Visitaron una hilandería, que era el lugar donde se procesaba la lana de las ovejas para hacer el hilo con el que después se harían camisas, pantalones y abrigos. Había otro edificio donde se elaboraban los productos lácteos; allí fabricaban queso y mantequilla con la leche de las vacas. Hasta había una casa para hacer exclusivamente sidra de manzana. A Sofía le encantaba la sidra de manzana y hubiera deseado tener una casa como esa.

—¿Sabían que el padre de George Washington tenía un millar de manzanos? —preguntó la guía.

¡Manzanos! Eso le recordó algo a Sofía. Levantó la mano y la guía le dio la palabra:

—No, yo no sabía lo de los manzanos. ¿Pero cuántos cerezos tenía?

—Ninguno, que yo sepa —respondió la guía después de pensar durante unos segundos.

¿Ninguno? Sofía frunció el ceño. Eso no tenía sentido.

—O sea, antes de que George Washington cortara uno —dijo.

—¡Ah, ya! —dijo la guía Fawn riendo entre dientes—. Te refieres a la anécdota famosa, ¿cierto?

—¡Exacto!

—Bueno, sospecho que eso es solo un cuento. Estamos casi seguros de que no sucedió realmente —dijo la guía.

"¿Cómo?", pensó Sofía.

—¿Qué quiere decir? —preguntó—. ¿Cómo puede alguien inventar una mentira para demostrar que George Washington era un hombre honesto?

La guía Fawn se encogió de hombros.

—Pues muy buena pregunta —dijo.

"Gracias", pensó Sofía.

—¿Y hay alguna anécdota *real* que demuestre su honestidad? —añadió.

—Que yo recuerde, no —respondió la guía—. Pero eso no quiere decir que Washington no haya sido un hombre honesto.

Sofía miró a uno y otro lado. Todavía no podía creer que George Washington nunca hubiera cortado el famoso cerezo. Pero estaba segura de que si hubiera podido, lo habría hecho. Y que, por supuesto, después se lo habría dicho a su papá.

—Bueno, ¿quién quiere ver la cocina? —preguntó la guía Fawn.

Sofía levantó la mano.

—Yo no —dijo. Ya se estaba aburriendo de los pequeños edificios—. Prefiero salir a caminar por el prado y ver las ovejas. ¿O ya podemos almorzar? Me encantaría, porque traje ensalada de huevo y ya se está calentando; no quisiera que se echara a perder. Una vez comí un sándwich de atún que estaba malo y me enfermé. ¡Un verdadero desastre!

Algunos chicos comenzaron a reírse.

—Ya veo —dijo la guía mirando a Sofía—; pero sus almuerzos están guardados en la nevera. Creo que no se van a echar a perder. Además, estoy segura de que lo que vamos a hacer ahora te encantará. ¿Alguien tiene alguna pregunta? —añadió.

Dean levantó la mano.

—¿Cuál es su programa favorito de televisión?

La guía se echó a reír.

—Quise decir que si tenían alguna pregunta sobre lo que estamos hablando...

Los chicos negaron con la cabeza.

—¿No? Entonces vamos a la cocina —dijo, y se volteó hacia Dean—. Me gusta ver las competencias de baile en la televisión.

CAPÍTULO 3

La guía Fawn llevó a los chicos por otro camino de ladrillos que conducía a una pequeña cocina blanca. Cuando entraron, a Sofía le vino a la mente... ¡la casa de los siete enanitos!

En la cocina había una gran mesa con jarras y tazones de madera. También había un enorme fogón a lo largo de una pared con un fuego anaranjado que brillaba en su interior.

—¡Mira! —le dijo Sofía a Kate, señalando una escoba—. Así era la que usaba Blancanieves.

—Esta era la cocina de George Washington —explicó la guía—. Como ven, está construida en

24

un edificio independiente. ¿Alguien sabe por qué está separada del resto de la casa?

Sofía se volvió a morder el labio. Normalmente hubiera contestado algo como: "Porque se les olvidó hacer la cocina cuando construyeron la casa" o "Para que cuando George Washington hiciera ensalada de huevo la casa no oliera mal".

Pero tenía que ser honesta. Por eso, cuando la guía Fawn la señaló para que contestara, Sofía respondió:

—¡No tengo idea!

Entonces, la guía apuntó a Kate.

—¿Para que cuando la niñera de George Washington cocinara coles rellenas, la casa no apestara? —dijo Kate.

—No creo que la niñera de Washington cocinara coles rellenas —respondió la guía riendo—. Pero sí, para evitar los olores en la casa. Esa era una de las razones.

Sofía no podía creerlo.

"Esa iba a ser mi respuesta", pensó.

—Pero además había otra razón. ¿Alguien puede adivinar? —preguntó la guía Fawn.

Sofía levantó la mano. Sí. ¡Seguro! Esta vez lo adivinaría.

Pero no la volvieron a señalar. Esta vez le tocó a Mindy responder.

—¡Yo sé! ¡Yo sé! —dijo Mindy—. Para que el fuego no calentara demasiado la casa en el verano ni provocara un incendio.

—¡Correcto! —contestó la guía.

Mindy hizo una pequeña reverencia.

—Lo aprendí cuando vine el año pasado —añadió.

Sofía entornó los ojos. Se preguntaba si Mindy lo hacía para molestarla.

—¿En qué otras cosas se diferencia esta de la cocina de sus casas? —preguntó la guía.

Veinte manos se levantaron al mismo tiempo... y veinte respuestas resonaron a la vez.

No tenía lavaplatos, ni refrigerador, ni horno, ni fregadero.

Tampoco había un microondas para hacer palomitas de maíz, ni mezcladora para hacer batidos.

Había que traer el agua en cubos de un manantial.

Los alimentos se cocinaban en el fogón, en ollas y sartenes grandes y negros.

Todo esto le parecía un poco complicado a Sofía.

—¿La familia de George Washington salía bastante a comer? —preguntó.

—No —dijo la guía Fawn—, todo lo que comían se preparaba aquí mismo, incluyendo el desayuno favorito de George Washington: tortas de azada con mantequilla y miel. Oigan, ¿a quién le gustaría prepararlo ahora mismo?

—A mí —gritaron todos al unísono.

Sofía también gritó, aunque no tenía idea de lo que era una torta de azada. ¡Lo que *sí* sabía era que la mantequilla y la miel le encantaban!

—¡Fantástico! —dijo la guía—. Vamos a dividirnos en dos grupos: uno hará las tortas y el otro, la mantequilla.

Se paró junto a una vasija de madera que tenía una tapa con un agujero en el centro por el que salía el mango de una cuchara inmensa.

—¿Alguien ha usado alguna vez una mantequera? —preguntó.

Mindy levantó la mano. Por supuesto. Igual que Lily. Movían las manos como si fueran expertas en hacer mantequilla. Pero Sofía no estaba tan segura de que lo fueran.

A pesar de todo, era difícil ser honesta en esta situación. ¿Y si solamente escogían a las expertas? ¡Sofía también quería intentarlo! Le estaba costando trabajo no levantar la mano.

—Perfecto —dijo la guía señalando a Mindy y Lily—. Si ya han hecho esto antes, entonces ustedes harán las tortas de azada. Quiero darles la oportunidad de hacer mantequilla a los otros chicos.

Mindy puso mala cara. Y Lily también. Pero Sofía estaba demasiado ocupada levantando la mano como para notarlo.

¡Ser honesta era buenísimo!

La guía escogió a Sofía. ¡Y también a Kate!

Después eligió a otro grupo... entre ellos estaban Toby y Archie.

¡Qué mala suerte!

El equipo se reunió alrededor de la mantequera. La guía vertió crema dentro de la vasija y les enseñó a los niños a mover la cuchara de madera hacia arriba y hacia abajo. Eso era fácil.

Entonces les dijo que se divirtieran y les pidió que fueran rotando para que a todos les llegara su turno. Eso era difícil.

La mamá de Grace estaba al frente del grupo. Trató de poner orden, pero nunca antes había estado a cargo de Toby y Archie.

Ellos eran los peores a la hora de respetar los turnos.

—¡Yo primero! —gritó Archie.

—¡No, el primero soy yo! —gritó Toby más fuerte.

Los dos agarraron la vasija... y no la soltaban.

—Chicos, chicos —dijo suavemente la mamá de Grace—, a cada uno le llegará su turno. Deja a tu amigo primero —le pidió a Toby—. Después vas tú.

Sofía y Kate se miraron. ¡La mamá de Grace no tenía idea de quiénes eran esos dos!

Toby la miró, encogió los hombros y soltó la mantequera. Entonces Archie comenzó a batir tan rápido como podía.

—Ya... ¿el próximo? —dijo la mamá de Grace.

Pero Archie no paró, y Toby le arrebató la vasija de las manos.

—¡Chicos! —gritó la mamá de Grace. Ya había perdido la paciencia—. ¡Basta! ¡El turno de ustedes ya terminó!

Después lo hicieron otros chicos, hasta que al fin le tocó a Sofía. ¡No podía esperar más! Agarró fuertemente la mantequera y comenzó bate que bate... pero pronto se detuvo.

¡Sus brazos no daban más! Batir mantequilla era mucho más difícil de lo que parecía.

—¿Qué pasó Sofía? ¿Ya te cansaste? —se burló Toby.

Sofía lo miró y le dieron ganas de decirle que no; pero no podía mentir. Ella era Sofía la Honesta.

—Sí —murmuró y, cuando iba a sacarle la lengua, llegó la guía.

—Las tortas de azada ya están listas —dijo—. ¿Cómo va la mantequilla?

Sofía se secó la frente.

—Creo que ya está —respondió.

Dio un paso hacia atrás para que la guía levantara la tapa. La guía Fawn metió una cuchara en la vasija y Sofía sonrió. ¡Se moría de ganas de ver la mantequilla casera!

Pero lo que había en la cuchara no parecía mantequilla, sino helado derretido.

—Ay, no... —suspiró Sofía.

Entonces Kate, la mamá de Grace y otros chicos batieron un poco más.

—Es que debió dejar que las expertas lo hicieran —le dijo Mindy a la guía entornando los ojos.

No todos oyeron su comentario, pero Sofía se puso las manos en las caderas y respondió:

—¡Zapatero a tus zapatos, Mindy!

Y se dio la vuelta rápidamente. Tenía que batir la mantequilla y demostrarle a Mindy que podía hacerlo bien. El único detalle era que... olvidó que la vasija estaba justo detrás de ella.

Y si hubiera tenido puesta la tapa, quizás el líquido blanco no se hubiera derramado cuando Sofía la tumbó. Pero se derramó... por todas partes. Hasta en las botas negras de la guía y los zapatos plateados de la mamá de Grace.

"¡Ay, ay, ay!"

Sofía tenía una regla: en la escuela no se llora. Pero no estaban en la escuela, sino en la cocina de George Washington.

Sintió un nudo en la garganta y lágrimas en los ojos. En ese momento alguien le puso una mano en el hombro. Era la guía Fawn.

—No es nada, no te preocupes. Fue un accidente —dijo.

"¡Eso es verdad!", pensó Sofía.

Resolló y se sintió un poco mejor.

Mientras la mamá de Grace se quitaba los zapatos, la guía trajo un cubo y un trapeador para secar el suelo y sus botas. Al terminar de limpiar, vertió más crema en la vasija.

Todos se turnaron para batir y la crema fue tomando mejor apariencia.

—¿Eso es mantequilla? —preguntó Sofía.

—¡Sí, señorita!

La guía Fawn puso las tortas de azada en la mesa. El otro grupo las había hecho con harina de maíz, agua y sal. Parecían panqueques, pero no sabían igual.

"Menos mal que se comen con miel y mantequilla", pensó Sofía.

—Y bien, ¿qué les parecieron las tortas? —preguntó la guía.

—Para ser honesta, saben como si las hubieran hecho en un aserradero —respondió Sofía.

—Pero Sofía... —dijo la Sra. Moffly negando con la cabeza.

La guía Fawn volvió a sonreír.

—La verdad es que a mí tampoco me gustan mucho. ¿Qué les parece si vamos al granero? —añadió—. Podemos ver los animales y luego ustedes pueden almorzar.

—¡Síííí! —dijeron todos los chicos.

Mientras iban saliendo, Kate agarró a Sofía por el brazo.

—En cuanto escuché "granero", recordé que tengo algo *importante* que contarte —murmuró Kate.

"¿Algo importante?"

—¿Qué? —preguntó Sofía de una vez.

Kate miró a su alrededor.

—Mejor te lo cuento en un sitio *privado* para que nadie nos pueda oír —dijo—. Te cuento a la salida de la escuela.

CAPÍTULO 4

Sofía se moría de ganas de escuchar el cuento de Kate, y le fue muy difícil esperar hasta la salida de la escuela.

Esperó durante toda la excursión, en el viaje de regreso a la escuela y en el autobús.

Pero ya no aguantaba más.

—¡Tienes que contarme ahora mismo! —exclamó en cuanto llegaron a casa de Kate—. ¡Honestamente, no puedo esperar más!

—Ya voy, ya voy, dame un segundo —dijo Kate con una sonrisa de oreja a oreja—. ¡Hola, Sra. Belle! ¡Ya llegamos!

—¡Hola! Ya voy para allá —respondió una voz amigable.

La Sra. Belle era vecina de la familia de Kate y tenía tres hijos, pero ya eran grandes. Por las tardes iba a casa de Kate y la acompañaba hasta que su mamá regresaba del trabajo.

La mamá de Kate trabajaba en la consulta de un doctor, pero no era médico ni enfermera. Sofía estaba segura de que su empleo consistía en mantener calladas a las personas en la sala de espera.

A Sofía le encantaba la Sra. Belle. Se sabía un millón de juegos de naipes y las dejaba ver televisión.

También hacía coles rellenas que olían muy mal... ¡pero que le quedaban deliciosas!

La Sra. Belle entró en la cocina. Vestía su ropa deportiva favorita de color amarillo brillante. Sofía sabía que era su favorita porque la Sra. Belle se había decolorado el cabello de ese mismo color para que le hiciera juego con la ropa.

—¿Cómo les fue en la escuela hoy? —dijo, dándoles un abrazo—. ¿Qué hicieron?

Kate encogió los hombros.

—Bien, no hicimos mucho —dijo.

Por lo general, Sofía decía lo mismo. Pero ahora que era Sofía la Honesta sabía que esa respuesta no era suficiente.

Respiró profundo y se aclaró la garganta.

—Para serle honesta, Sra. Belle, hoy fue un día difícil. Antes de ir a la excursión, tuvimos que hacer un examen de ortografía y yo pensaba que me sabía todas las palabras. ¿Pero adivine qué? Por error, me había estudiado las palabras de la semana anterior. Después el día fue mejorando porque hicimos una excursión. O sea que no tuvimos que almorzar en la escuela, lo cual es muy bueno. En el autobús espanté a Toby y Archie de sus asientos, y Kate y yo pudimos sentarnos en la última fila que es la que nos gusta. Pero en ese momento abrí mi bolso de la merienda y mi mamá me había preparado ensalada de huevo... ¡y todos los chicos sintieron el mal olor!

Sofía se detuvo para volver a tomar aire... y continuó:

—En fin, fuimos al lugar donde nació George Washington, y creo que aprendimos algunas cosas... Por ejemplo, que cuando vas de excursión debes usar zapatos cómodos; que probablemente George Washington perdió sus dientes comiendo esas tortas de azada que saben a madera; que en su casa no había televisión y que, de haberla habido, se habría incendiado; y por último, que hasta los presidentes pueden tener los trabajos más aburridos del mundo.

La Sra. Belle no lo podía creer. Miraba a Sofía y a Kate sorprendida.

—¡Pero Sofía! —exclamó—. ¡Hoy estás hecha toda una charlatana!

¿Charlatana? *¿De nuevo?*

Sofía se irguió lo más posible y levantó la barbilla con dignidad.

—Lo que soy es *honesta*, Sra. Belle. A partir de hoy seré así —dijo estirándose la camiseta para que se viera bien la *H*—. ¡Sofía la Honesta, para servirle!

—¡Ya veo! Ahora díganme con toda *honestidad*, ¿qué quieren comer? —dijo la Sra. Belle.

Kate finalmente abrió la boca:

—Galletitas, por favor.

La Sra. Belle sacó un paquete de galletas, sirvió dos tazas de leche y dejó que las niñas le pusieran sirope de chocolate a la leche.

—¡Creo que con eso es suficiente! —les dijo.

Sofía puso a un lado el sirope y se chupó los dedos. Entonces recordó lo que había estado esperando todo el día.

—¡Kate, tú tienes algo importante que contarme! —dijo.

—¡Ah, es verdad! —dijo Kate. Tomó un sorbo de leche y sonrió—. Pero primero déjame preguntarte, ¿tengo un bigote de leche?

Sofía entornó los ojos.

—Sí —dijo, y tomó un sorbo para que también se le hiciera uno—. ¡Ahora, cuéntame!

Kate miró a la Sra. Belle.

—Sra. Belle, dígale a Sofía lo de su hija.

—Bueno, que por fin se ha mudado aquí —dijo la Sra. Belle, y le guiñó un ojo a Sofía.

—¡Oh! —dijo Sofía, pensando que esa era una noticia emocionante... para la Sra. Belle.

—Y eso no es todo —añadió Kate.

Entonces, la Sra. Belle le contó a Sofía que su hija había comprado una finca de caballos.

—¡Oh! —repitió Sofía. Esto era un poco más emocionante.

La Sra. Belle le dijo que su hija había invitado a Kate a dar un paseo en sus caballos, y que le había dicho que podía invitar a dos amigas... que hasta podrían quedarse a dormir. ¡Irían ese mismo fin de semana!

—¡Oh! —exclamó nuevamente Sofía. No solo era emocionante, ¡esta era la noticia más fantástica, increíble y maravillosa del mundo!

—¿Has montado a caballo alguna vez? —le preguntó la Sra. Belle a Sofía.

—No, nunca —respondió Sofía—, pero es algo que he querido hacer toda mi vida —añadió seriamente.

—¿De verdad? —dijo Kate.

—Sí, honestamente —contestó Sofía—. Justo ahora acabo de darme cuenta.

Sofía se quedó mirando a su amiga.

—¿Estás pensando lo mismo que yo? —preguntó Kate.

—¡Creo que sí! —dijo Sofía.

Las chicas terminaron la taza de leche y agarraron un puñado de galletas.

—Muchísimas gracias, Sra. Belle —dijeron—. ¡Tenemos que salir a practicar!

Corrieron hasta el patio de Kate y se sentaron a horcajadas sobre los columpios, como si estuvieran montadas a caballo. Agarraron las cadenas, sacudiéndolas y gritando "¡Yujú!" lo más alto que podían.

—¡Oye! —dijo al fin Kate dando algunas palmaditas en el aire como si estuviera tocando la cabeza de su caballo—. Suave, Relámpago. No corras.

Sofía también hizo como si le estuviera dando palmaditas al suyo.

—Eso es, Botón de Oro. ¡Lindo salto! —dijo.

Pero de pronto, a Sofía se le ocurrió algo. Algo que la hizo detener a su caballo. ¿Era *honesto fingir* que estaba montando a caballo?

—¿Qué pasa, Sofía? ¿Tu caballo te tumbó?

Sofía suspiró y cruzó la pierna por encima del columpio.

—Lo que pasa es que olvidé ser honesta. Se acabó esto de fingir —dijo.

—¿Eh? —dijo Kate extrañada—. Pero si a nosotras nos encanta.

—Lo sé; pero no es honesto —respondió Sofía—. Al menos para mí.

Las chicas suspiraron al unísono y se quedaron calladas durante unos minutos.

—¿Y yo sí puedo fingir? —preguntó Kate al fin.

—Por supuesto. ¿Por qué no? —dijo Sofía.

Kate comenzó a galopar nuevamente y al rato paró.

—No es divertido cabalgar sola —dijo.

—Lo siento —dijo Sofía con tristeza; no quería arruinarle la diversión a su amiga, pero tenía que ser fiel a su nuevo nombre.

—Está bien —respondió Kate—. El único problema es que nosotras fingimos bastante.

Se quedaron en silencio otra vez.

—Ya sé. En lugar de fingir, podemos conversar —dijo Sofía meciéndose en el columpio—. A ver, dime, ¿a quién vamos a invitar para que venga con nosotras a la finca?

Sofía sabía que esa era una pregunta difícil porque Kate solo podía escoger a dos amigas. Estaba claro que ella sería una, pero la otra plaza estaba muy reñida. Ellas se sentaban con Grace y Sydney en el salón 10. Y Eve y Mia eran las que más jugaban con ellas en el recreo.

—Grace me cae bien —dijo Kate—, pero a veces puede ser un poco mandona. Eve y Mia son divertidas, pero a Eve le da miedo dormir fuera de casa; siempre tiene que llamar a su mamá. Y Mia se ríe tan alto que puede ahuyentar a los caballos. Creo que voy a invitar a Sydney. ¿Qué te parece?

—Creo que es una buena idea —respondió Sofía honestamente.

Entonces Kate se mordió un mechón de cabello. Sofía sabía que ese era el gesto típico de su amiga cuando estaba nerviosa.

—¿Y si Grace, Eve y Mia se enteran? —preguntó Kate—. No quisiera que se molestaran o se sintieran mal.

—No te preocupes —respondió Sofía—. Sydney es buenísima para guardar secretos. ¡Nadie tiene por qué enterarse!

CAPÍTULO 5

Sofía tenía muchas ganas de llegar a su casa y contarle a su mamá la gran noticia.

Pero su mamá se puso a hacerle preguntas en cuanto llegó.

—¿Cómo te fue en la escuela hoy?

¡Sofía tenía que ser honesta!

Cuando le estaba contando sobre la vasija de mantequilla, su mamá interrumpió la conversación.

—Disculpa, Sofía —le dijo—. Me encantaría escuchar todo el cuento. De verdad. Pero hoy estás hecha una charlatana y tengo muchas cosas que hacer.

¡Charlatana! *¿De nuevo?*

¡Ella solo estaba tratando de ser honesta! ¿Para qué preguntan los adultos si después no quieren escuchar?

A pesar de todo, honestamente se alegró de no tener que seguir hablando de su día. Sintió a su gatita Puntillas dándole vueltas por los pies y la cargó para hacerle cosquillas en el cuello. ¡A la gata le encantaba! De eso estaba segura.

Sobre la cocina había una olla con una salsa roja hirviendo. Olía deliciosa.

—Mamá, ¿qué estás preparando?

—Lasaña. El plato favorito de tu papá. Quiero darle una sorpresa —dijo.

—¿Te puedo ayudar?

Su mamá la miró sonriendo... pero negó con la cabeza.

—Lo siento, pero tengo que apurarme para que me dé tiempo a limpiar la casa —respondió—. Tía Maggie llamó y anunció que vendrá a cenar otra vez. —Miró el reloj y se le borró la sonrisa del rostro—. ¿Sabes cuál es el problema de tu tía?

Sofía suspiró y le respondió la verdad.

—No lo sé.

Su mamá sonrió de nuevo.

—Yo tampoco. Solo espero que no traiga más basura. Si supiera que lo botamos casi todo.

¡Rin! ¡Rin! ¡Rin!

—¿Sofía, puedes contestar el teléfono? —preguntó su mamá con las manos llenas de queso—. Si es para mí, por favor di que no estoy.

Sofía corrió feliz a contestar. Casi siempre los primeros en contestar el teléfono eran su mamá, su papá o Hayley, su hermana mayor.

—¡Hola! —dijo Sofía.

—¡Hola! —dijo una voz estridente del otro lado del auricular—. Es tía Maggie. ¿Quién habla?

—Hola, tía Maggie. Es Sofía —dijo aclarándose la voz—. Sofía la Honesta.

No pudo evitar sonreír. ¡Qué buen nombre se había buscado!

—¿Sofía la qué? —dijo su tía—. ¿Sofía la *Apuesta*?

A veces olvidaba que su tía Maggie era medio sorda.

—No, tía —suspiró—. Soy yo, Sofía.

Mejor esperaría a que tía Maggie estuviera en la casa; así entendería más claro su nombre.

—¡Ah, Sofía! ¿Cómo estás, preciosa? —preguntó su tía.

—Bien... —comenzó a responder Sofía.

—Me alegro mucho —dijo Maggie cortando la conversación—. ¿Está tu mamá?

Sofía pensó un segundo.

—Sí —contestó finalmente—, y no.

—¿Cómo es eso? —dijo tía Maggie—. Disculpa, mi niña, no entendí. ¿Dijiste sí o no?

—Los dos —gritó Sofía lo más alto que pudo—. Sí, porque mi mamá está aquí. Y no, porque me pidió que dijera que no estaba. Pero yo no puedo mentir porque soy honesta.

Se volteó para sonreírle a su mamá, pero su sonrisa no fue correspondida.

"¡Oh, oh!"

—Humm... De todas maneras, no creo que quieras hablar con mi mamá —continuó—. Parece estar un poco molesta; además, tiene las manos llenas de lasaña y la casa está virada al revés; tiene que limpiar antes de que llegues. Y...

En ese momento, su mamá le quitó el teléfono.

—¿Vas a preguntarle cuál es su problema? —dijo.

Rápidamente, la mamá de Sofía cubrió el teléfono con la mano.

—¿Por qué no te vas a tu cuarto y haces la tarea? —preguntó.

—¿Ahora? —dijo Sofía. Honestamente, no tenía deseos de hacerla. La tarea era resolver una sopa de letras, que para ella era tan aburrido como medir la tierra.

—Sí —contestó su mamá.

Sofía salió rumbo a su cuarto, pero su hermana Hayley la detuvo. Estaba jugando con Max.

Hayley estaba en quinto grado, pero siempre actuaba como si fuera una adulta.

Max tenía dos años, y se comportaba tal y como se comportan los niños de esa edad. En ese momento estaba deslizando un camioncito sobre el pie de Hayley.

—¡Ya llegaste! —dijo Hayley—. Te estaba esperando. Mamá me pidió que cuidara a Max porque ella estaba ocupada. Pero ahora te toca un rato.

—No puedo —suspiró Sofía. ¡En situaciones así, ser honesta era especialmente beneficioso!—. Mamá me pidió que hiciera la tarea.

—Pero puedes hacer las dos cosas a la vez, como lo hice yo —dijo Hayley entornando los ojos—. Necesito llamar a Sam ahora mismo para preguntarle algo sobre la tarea.

Sofía frunció el ceño. Estaba un poco confundida. Conocía a Sam, el hermano mayor de Dean, su compañero de salón. Sam era el chico que le gustaba a su hermana.

Lo sabía porque Hayley tenía escrito su nombre en todos sus cuadernos y siempre trataba de caminar junto a él en la escuela.

—Pero dijiste que ya habías hecho la tarea —dijo Sofía.

Hayley hizo una mueca.

—Pero no es para *eso* que necesito llamarlo.

Y diciendo esto se quitó el camioncito del pie y se dio media vuelta.

Sofía se sentó y trató de resolver la sopa de letras, pero hacer la tarea con Max era un poco difícil. No porque él conversara mucho. De hecho, ni sabía hablar. (Algo que Sofía pensaba que era muy raro). Pero sí hacía otros ruidos, como *BIN-BAN*, *PUM* y *BUM*.

Sofía se alegró cuando al fin escuchó un sonido diferente.

¡PI-PI! El claxon del auto de su tía Maggie.

—Corre, Max —dijo—, que llegó tía. Vamos a ver qué trajo.

La tía abuela Maggie nunca venía con las manos vacías. Siempre cargaba con algo de su casa grande y vieja. Esas eran las cosas que la mamá de Sofía llamaba basura.

Ese día traía dos bolsos. Sofía podía verlos por debajo de su chal. Un chal que era más grande que su edredón, pero que a su tía le gustaba más que un abrigo.

Tía Maggie puso los bolsos en el suelo.

—¡Hola, niños preciosos! —dijo.

Y de un abrazo cubrió a Sofía y Max con su chal. El olor del chal era una mezcla de perfume y perro mojado.

Entonces, tía Maggie buscó dentro de un bolso y sacó un recipiente de cristal lleno de cajas de fósforos.

"¡Guau!", pensó Sofía. Esperaba que fueran para ella. ¡Nunca antes había tenido fósforos!

Pero tía Maggie se los dio a Max.

—¡Maximiliano, mi niño! Mira lo que te traje —dijo.

¿Fósforos? ¿Y en un recipiente de cristal? ¿Para Max? A Sofía no le parecía una buena idea.

Max extendió los brazos para agarrarlo, pero su mamá se lo impidió.

—Creo que es mejor que *yo* los guarde, Maggie —dijo.

Tía Maggie sonrió y asintió con la cabeza.

—Si te gustan mucho, puedes quedarte con ellos —dijo.

Entonces sacó una planta que parecía estar muerta.

—Toma, Maxy, riégala un poco. ¡Y verás como crece! —dijo tía Maggie.

El niño la agarró feliz y la tiró en el suelo. Se sentó sobre la tierra y comenzó a comérsela.

Sofía miró a su mamá, que había dejado el recipiente de cristal sobre la mesa y venía caminando con las manos en la cabeza.

Por su parte, tía Maggie seguía buscando en su bolso, de donde sacó dos nuevos objetos.

Uno era un enorme libro con dos palabras en mayúscula en la portada: *GRAMÁTICA LATINA*.

El otro era un broche con forma de mariquita cubierto de brillantitos. (Aunque ya se le habían caído algunos).

No obstante, era el objeto más lindo que tía Maggie había traído a la casa en toda su vida.

Sofía se alegró de que los fósforos no hubieran sido para ella. Ese broche le gustaba mucho... muchísimo.

Pero su tía Maggie le dio el libro.

—Sofía la Apuesta, ¿qué te parece este libro? —preguntó.

Sofía se quedó un minuto pensativa. Ella era Sofía la Honesta y tenía que decir la verdad.

—Creo que... me gusta mucho más el broche —contestó.

Esperaba no haber lastimado los sentimientos de su tía con esa respuesta. Por suerte, no lo hizo. Maggie pareció no haber oído sus palabras.

—¿Cómo? —preguntó, poniéndose una mano detrás de la oreja.

—¡Que me gusta más el broche! —repitió Sofía, un poco más alto.

—¿El *escarabajo*? —dijo tía Maggie.

"¿Es un escarabajo?", se preguntó Sofía.

—Supongo —respondió Sofía—, pero a mí me parece más una mariquita.

Tía Maggie sonrió.

—Bueno, si hay algo que me gusta, es que las niñas sean honestas. ¡Toma, es tuyo! —dijo.

—¡Gracias! —dijo Sofía, sintiendo que brillaba más que la mariquita... o el escarabajo... o lo que fuese.

—Entonces le daré este libro a Hayley —continuó tía Maggie—, aunque no sé dónde está...

Suspiró y soltó el libro. Luego sacó algo más: era anaranjado y tenía forma de calabaza. Sofía estaba segura de que era una lámpara; y mucho más segura de que estaba rota.

Tía Maggie le dio una palmadita.

—Esto es para tu papá. Seguramente él puede arreglarla. No me gusta botar las cosas, ¿sabes?

Sofía levantó la vista del broche.

—Ah, a nosotros sí —dijo—. Mi mamá bota la mayoría de las cosas que usted nos trae. Y mi papá no puede arreglarlas. Y Hayley está en su cuarto tratando de hacerse novia de un chico, y lo llama con el pretexto de hacer la tarea.

—¡Sofía! —dijo su mamá.

—¡Sofía! —dijo Hayley, que acababa de entrar.

¿Por qué estaban todos tan molestos?

—¡Tía Maggie! —dijo el papá de Sofía, que también acababa de llegar—. No sabía que vendría. ¡Qué sorpresa! Humm... ¡y qué bien huele! ¿Qué hay para la cena? —preguntó.

—Lasaña —respondió Sofía—. Ni preguntes, que es también una sorpresa.

CAPÍTULO 6

Al día siguiente, Sofía había aprendido varias lecciones sobre ser honesta.

En algunos casos, era muy simple: había que escuchar la pregunta y responder la verdad. Pero en otros era difícil. A algunas personas a veces no les gusta oír la verdad. Y otras personas, como su tía Maggie, no pueden escuchar la verdad (ni ninguna otra cosa).

Pero Sofía tenía un nombre, y le debía fidelidad. ¡Ella era Sofía la Honesta!

¿O no?

Cuando llegó a la escuela, no fue así como la llamaron. ¡Para nada! Todos le dijeron Sofía la Charlatana.

Así fue en cuanto puso un pie en el salón.

—Buenos días, Sofía —dijo la Sra. Moffly—. Qué lindo broche. ¿Quién te regaló esa mariquita?

—En realidad, Sra. Moffly, es un *escarabajo*. Y me lo regaló mi tía Maggie. Ayer ella misma se invitó a mi casa, que es algo que acostumbra a hacer. Siempre nos trae basuras de regalo, como la última vez que me dio un abridor de latas. Pero esto está mucho mejor; y muchísimo mejor que...

En ese momento pasó Toby tapándose los oídos con las manos.

—¡Atención! ¡Cuidado, Charlatana a la vista! —dijo.

Por supuesto, Archie tampoco podía quedarse callado.

—¡Auxilio, llegó la Charlatana! ¡Qué lata! —gritó.

Sofía los miró. Honestamente, ¡pensaba que ellos eran lo peor!

—¡Chicos! —dijo la Sra. Moffly—. Basta ya. En esta clase nadie tiene apodos.

"A menos que sea uno tan estelar como Sofía la Honesta", pensó Sofía.

Entonces, la Sra. Moffly se volteó hacia Sofía.

—Bueno, me gusta mucho el *escarabajo*. Y me encantaría escuchar todo el cuento, pero la clase tiene que comenzar.

La Sra. Moffly caminó hasta el interruptor de la luz y apagó y encendió la luz tres veces.

—¿Dejaron todos sus tareas en la cesta? —preguntó.

Algunos negaron con la cabeza, otros respondieron que todavía no, varios dijeron que sí y Mindy, por supuesto, dijo que ella había sido la primera en hacerlo.

Sofía suspiró. ¡Qué horror! Su tarea. Tenía esperanzas de que la profesora la olvidara.

Levantó la mano discretamente.

—No traje mi tarea, Sra. Moffly —dijo.

—¿No? ¿Y por qué?

—Mi hermano se la comió —respondió, soltando un enorme suspiro.

Al momento, el salón se vino abajo... pero la Sra. Moffly en lugar de reírse, frunció el ceño.

—¿Tu hermano se la *comió*? Está un poco difícil de creer, Sofía.

¿Cómo? ¿Difícil de creer? ¡Pero si ella era Sofía la Honesta!

—Es verdad. ¡Honestamente! Comencé a hacer la tarea, pero en eso llegó mi tía Maggie y tuve que parar. Cuando regresé, todo el papel estaba masticado en el suelo. Y tuvo que haber sido mi hermano. En mi casa no hay perro. Solo tenemos una gatita y nunca ha comido papel. Aunque plantas sí, y gelatina también; una vez. —Sofía tomó aire y continuó—: Tiene que creerme, Sra. Moffly. Le digo la verdad.

La cara de enfado se borró del rostro de la Sra. Moffly y la maestra sonrió.

—Te creo, Sofía. Puedes hacer una nueva sopa de letras esta noche.

☆ ☆ ☆

——Me salvé —le dijo Sofía a Kate un poco más tarde.

Las chicas caminaban alrededor del salón, midiéndolo con una cinta métrica... justo como habían aprendido en la excursión al lugar donde nació George Washington.

—¿De qué te salvaste? —preguntó Kate, midiendo el broche de Sofía con la cinta.

—Por un minuto la Sra. Moffly pensó que yo estaba mintiendo —respondió—. ¿Te imaginas? ¿Yo? ¡Sofía la Honesta!

—¡Ah, cierto! —asintió Kate.

—¿Y qué te parece lo de "charlatana"? —continuó Sofía—. Honestamente, a eso hay que ponerle fin.

—Bueno... —dijo Kate. Encogió los hombros y midió la cinta con una regla—. Exactamente doce pulgadas —agregó mirando a Sofía—. Quizás seas las dos cosas.

"¿Las dos?"

—¡Pero yo no soy una charlatana! —protestó—.

Yo soy honesta, digo la verdad, solo la verdad y nada más que la verdad. Eso es todo.

—Lo sé, pero tal vez puedas decir solo la verdad sin tener que hablar tanto —dijo Kate.

Sofía se quedó pensativa. Sí, esa era una buena idea; además, ya se estaba cansando de contarlo todo.

—Déjame ver qué puedo hacer —respondió.

Agarró un extremo de la cinta métrica para medir la mesa con su amiga.

—Cuatro pies —dijo Kate.

Entonces, Sofía miró la silla donde se sienta Sydney.

—¿Invitaste a Sydney a la finca este fin de semana? —preguntó.

—Todavía no —contestó Kate—. Creo que se lo diré cuando salgamos de la escuela. —Y diciendo esto unió los dedos índice y pulgar y se los pasó por los labios, como quien cierra un zíper—. Recuerda que es un secreto.

Sofía hizo el mismo gesto.

—¡Entendido!

En ese momento llegó Dean con su cinta métrica. Dijo que quería preguntarle algo a Sofía y que quería una respuesta honesta.

—Estás frente a la persona indicada —contestó Sofía. ¡Menos mal! ¡Su nombre estaba funcionando!

—Es que tengo una duda. ¿Por qué todas las noches tu hermana llama a mi hermano para preguntarle por la tarea? —preguntó Dean.

Sofía se aclaró la garganta. Podía sacar a Dean de dudas inmediatamente... y sin necesidad de hablar tanto.

—Porque mi hermana está enamoradísima de él —dijo, así de simple.

—Lo sabía —asintió Dean—. Vi una historia idéntica en la televisión.

Mientras se alejaba, Sofía sonrió.

—¡Por nada, Dean! —dijo, y se volteó hacia Kate—. ¿Mejor así?

—Mucho mejor —respondió su amiga.

Sofía estaba lista para la próxima pregunta, que en realidad tardó un poco; no fue hasta justo antes del almuerzo, cuando estaba al lado de Grace frente al lavamanos del salón.

—Espero que lo de los zapatos de tu mamá haya tenido remedio —dijo Sofía, que todavía se sentía un poco apenada por el accidente con la mantequilla.

—No tuvo remedio, pero no importa—respondió Grace—. Mi mamá está feliz porque ahora tiene un motivo para comprarse unos nuevos. Alcánzame el jabón. ¿Ah, adivina qué?

—¿Qué?

—Instalamos un trampolín en el patio —dijo Grace—. ¿Quieres venir a mi casa este fin de semana?

¡Un trampolín! ¡A Sofía le encantaban!

Estaba a punto de decirle que sí, cuando recordó lo de Kate y los caballos.

—Sí quiero, pero no puedo —respondió.

—¡Ah, qué mala suerte! ¿Y por qué no puedes? —preguntó Grace.

—Humm...

Sofía se quedó muda. Hubiera deseado poder

decirle a Grace que no podía ir porque tenía que ir a ver bailar ballet a su hermana o cualquier otra cosa, pero ella era Sofía la Honesta y no podía mentir. ¿Pero tal vez podía cambiar la conversación?

Sacó las manos del agua.

—¿Me alcanzas una toallita de papel, por favor? —dijo.

Grace agarró una y se la dio.

—Gracias —dijo Sofía.

"¡No fue tan difícil!", pensó.

—Entonces, cuéntame qué vas a hacer este fin de semana —insistió Grace.

"Ay, no".

Sofía arrugó la toallita de papel y recordó a Kate cerrándose los labios como un zíper; pero ella tenía que decir la verdad. No podía ser Sofía la Honesta si mentía.

Respiró profundo y respondió:

—Voy a hacer algo con Kate.

—¿Qué? —preguntó Grace.

—Humm... montar a caballo —murmuró—. ¡Ay, qué hambre tengo! ¿Tú no? —preguntó.

—¡Suena divertido! —dijo Kate—. ¿Y dónde van a montar a caballo?

—Humm... —Sofía miró el reloj. ¿Cuándo llegaría la hora del almuerzo?—. La señora que cuida a Kate... su hija tiene una finca... nosotras vamos a ir ... y nos quedaremos a dormir...

—¡Increíble! —dijo Grace con una sonrisa de oreja a oreja—. ¿Puedo ir con ustedes?

Sofía se mordió el labio y sintió que su cara hervía.

—Humm... no, no puedes.

Entonces, Grace frunció el ceño y cruzó los brazos molesta.

—¿Y por qué no?

Sofía volvió a respirar profundo.

—Lo siento, no te puedo decir —dijo dándose la vuelta.

Pero Grace no se quedó tranquila.

—Yo pensaba que tú eras Sofía la *Honesta*, ¿o acaso eres solo una charlatana? —preguntó.

—¡No soy ninguna charlatana! —dijo Sofía.

Pensó por un instante el significado de su nombre. Ser honesta significaba decir la verdad... sin importar cuáles fueran las consecuencias.

—Está bien —dijo llenándose de valor—, lo cierto es que Kate solamente puede invitar a dos amigas, y nos escogió a Sydney y a mí. Podía habértelo dicho, Grace, pero la verdad es que tú a veces eres un poco mandona. No te sientas mal, mira, a Eve le da miedo dormir fuera de casa y Mia se ríe demasiado alto.

—¿Mandona? —repitió Grace cuando Sofía paró para tomar aire.

En ese momento, la Sra. Moffly encendió y apagó las luces. Era la hora del almuerzo. ¡Al fin!

☆　　☆　　☆

Algunos días a Sofía le encantaba el almuerzo de la escuela. Sobre todo cuando servían pizza. ¡Esos eran los mejores! Pero otros días, como ese, prefería no almorzar. Había guiso de frijoles con carne y pimiento. ¡Qué asco!

—No, gracias —dijo Sofía a la señora de la

cafetería cuando iba a servirle el guiso—. Para serle honesta, eso parece fango.

Agarró dos panecillos y cuatro cubitos de mantequilla. Entonces se volteó hacia Kate, que estaba detrás de ella en la fila. Su amiga no parecía muy contenta.

—Sí, ya sé —dijo Sofía—, guiso de frijoles. ¡Un asco!

Pero Kate no asintió. Tampoco pareció darle gracia su comentario.

—¿Cómo pudiste, Sofía? —dijo.

Luego le dio la espalda y se fue.

CAPÍTULO 7

¿Cómo pudo?

¿Cómo pudo *qué*?

¿Cómo pudo agarrar dos panecillos? Pero si no era primera vez que lo hacía.

¿Cómo pudo tomar cuatro cubitos de mantequilla? Está bien; quizás era una exageración.

¿O cómo pudo ponerse en la línea del almuerzo sin esperar a Kate? Debe de haber sido eso. Sofía tendría que haberla esperado. Pero ella estaba en el baño y pensó que no había problema.

Pagó su almuerzo, recogió su bandeja y corrió tras Kate. Sofía no estaba segura de dónde iba su amiga, que ni siquiera se había servido el almuerzo.

—¡Lo siento! ¡Honestamente! Para la próxima te espero, te lo prometo —dijo.

Pero Kate no parecía conforme con esa explicación; de hecho, parecía furiosa.

—No es por eso que estoy molesta —dijo.

—¿Ah, no? ¿Y entonces por qué?

—Porque le dijiste a todo el mundo lo de mi excursión a la finca —exclamó—, ¡y ahora están enfadados conmigo!

Sofía deseó que se la tragara la tierra.

—Lo siento, Kate. ¡Te juro que lo siento mucho! Pero no se lo dije a todo el mundo —dijo, con la mano en el corazón—. ¡Honestamente!

Kate la miró con la misma expresión que mira a Toby a veces.

—¡No me mientas! —dijo.

—No te estoy mintiendo —respondió Sofía—. Solamente se lo dije a Grace porque no me quedó más remedio. Ella me obligó.

—¿Cómo que te obligó? —dijo Kate, con las manos en la cintura.

—Bueno... me preguntó.

—¿Y también te obligó a decirle que yo pienso que es una mandona? ¿Y que Mia habla muy alto? ¿Y que Eve es una miedosa? —dijo Kate—. Porque eso es lo que están diciendo.

"¡Ay, no! Grace no solamente es mandona; también es una chismosa", pensó.

—Yo no quería decirle todo eso, pero tuve que hacerlo. Tuve que ser honesta. Esa soy yo, ¿te acuerdas? —dijo, y sonrió.

Pero Kate no le devolvió la sonrisa.

—¿Sabes qué? Tu nombre no debería ser Sofía la Honesta ni Sofía la Charlatana —dijo Kate cruzando los brazos muy enfadada.

Sofía tuvo que apartar la mirada.

—Te deberías llamar Sofía la Chismosa.

"¡Ay!" Esas palabras dolieron más que cualquiera de los pellizcos de Toby.

—Lo siento mucho —dijo Sofía mirándose los

zapatos—. No te molestes conmigo. Yo soy tu mejor amiga.

—*Honestamente* —respondió Kate negando con la cabeza—, no creo que lo seas. Simplemente no puedo confiar en ti.

Y tras decir esto, se alejó para servirse sus propios panecillos con mantequilla.

Sofía miró a su alrededor; todos en la mesa de al lado la miraban fijamente. Pero se sentía tan mal, que no le importó.

☆　　☆　　☆

Ese fue el peor almuerzo de la vida de Sofía. El más malo de la historia. Peor que cuando se echó encima el sándwich de albóndigas.

En primer lugar, no tenía con quién sentarse. Ni siquiera con Kate, por supuesto. Su amiga estaba ofendida y se había sentado junto a Sydney.

Tampoco con Grace, ni Eve, ni Mia, pues estaban molestas con Kate y con ella.

Además, Grace le había contado a otras chicas lo del paseo a caballo y todas ellas estaban molestas también.

Solo quedaban algunos chicos para hacerle compañía, ¿pero quién querría sentarse con ellos?

Cuando Toby la vio sola, caminó hasta su mesa.

—¿Y por qué no estás sentada con Kate, Charlatana? —le preguntó.

Sofía hubiera querido responderle que no se entrometiera, pero ella era Sofía la Honesta y tenía que decir la verdad... aunque fuera a Toby.

—Porque creo que ya no somos más amigas —dijo, levantando la vista.

Y agradeció que Toby le diera la espalda y siguiera su camino, porque si se quedaba, seguramente rompería su regla de no llorar en la escuela.

Agarró un panecillo de su bandeja.

Tenía pasas. ¡Qué asco!

El día avanzó demasiado lento; y para colmo, no poder salir al recreo (la consecuencia del día anterior) tampoco ayudó mucho.

Al fin llegaron las tres de la tarde. Pero para Sofía significaba que también se sentaría sola en el autobús de regreso a casa.

O lo que es peor, se sentaría junto a Eva.

Eva Fitzgibbon estaba en preescolar, era la vecina de Sofía y siempre la perseguía. Sofía le había salvado la vida cuando Eva se lanzó a correr frente a un auto y ella la detuvo. Desde entonces, se había convertido en la heroína de Eva... ¡y desde ese día Eva estaba insoportable!

—¡Sofía! —chilló Eva, señalando el asiento de al lado—. ¿Kate se va a sentar ahí?

Sofía buscó por el autobús. Kate ya estaba sentada, y tuvo que responder con honestidad.

—No.

—¡Qué bien! —dijo Eva, y se desplomó en el asiento.

La pequeña olía a lápices de colores, goma de pegar y... ¿frutas podridas? Sofía olió nuevamente. ¿Qué era aquello?

—¡Ay, me encanta tu broche! —dijo Eva—. ¿Quieres ver mi cabeza reducida?

Y sin darle tiempo a que Sofía contestara, sacó de su mochila algo pequeño y arrugado.

—La hice con una manzana. ¿Te gusta? —preguntó.

Sofía la miró de cerca. Era reducida, sí; ¿pero una cabeza? No le parecía.

Suspiró y miró por la ventanilla. De pronto, sintió una mano en el hombro. Alguien se había recostado en su asiento.

¿Kate? ¿Le hablaría de nuevo? Sofía se volteó esperanzada.

Pero no.

Era Hayley, su hermana mayor.

—¿Cómo pudiste hacerme eso? —le dijo.

CAPÍTULO 8

¿Cómo pudo?

Y *esta vez* ¿qué fue lo que hizo?

—¿Cómo pudiste decirle a Sam que estoy enamorada de él? —murmuró Hayley.

Sofía se recostó sobre su asiento. No tenía idea que en un murmullo se pudiera transmitir tanta furia.

—Pero yo no le dije nada —respondió rápidamente. ¡Ella no había hablado con Sam!

—¿Entonces cómo lo descubrió? —preguntó Hayley.

—No lo sé —dijo encogiendo los hombros—. A lo mejor Dean se lo contó.

"¡Ay, no!"

No debió haberle dicho eso a Hayley.

—¿¡Se lo contaste a *Dean*!? —preguntó su hermana.

Dos veces intentó tragarse el nudo que se le había hecho en la garganta. Pero no funcionó.

—Sí, se lo conté. Pero tuve que hacerlo. Él me preguntó —dijo.

Hayley se echó el cabello a un lado.

—¡Muchas gracias por arruinarme la vida, Sofía! —gritó, y le dio la espalda para sentarse junto a su mejor amiga, Kim.

—¿Y a ella qué le pasó? —preguntó Eva mientras mordisqueaba su manzana.

Sofía suspiró y puso los ojos en blanco.

—Eso es lo que pasa cuando eres una persona honesta —dijo—. Y no te comas tu cabeza reducida, Eva. ¡Eso es una asquerosidad!

☆   ☆   ☆

El viaje en autobús duró quince minutos. Suficiente tiempo para que Sofía pensara en varias cosas.

Por ejemplo:

Si la honestidad es una virtud, ¿por qué cada vez que era sincera todo le salía mal?

¿Y por qué Kate la ignoraba?

¿Y por qué Hayley la miraba con odio?

¿Y por qué Eva le preguntaba tantas cosas?

Cuando el autobús se detuvo, Sofía estaba ya cansada de pensar... y de responder con sinceridad a las preguntas de Eva.

Preguntas como:

¿Por qué Kate se sentó tan lejos?

¿Y por qué está molesta contigo?

¿Y por qué le dijiste a todos algo que Kate no quería que se supiera?

Si Kate no te habla, ¿tienes tiempo para jugar conmigo después de la escuela?

¡Qué rico! ¿Podemos jugar en tu casa o en la mía?

Pero, ¿qué le iba a hacer? Sofía la Honesta tenía que decir la verdad.

—Creo que podemos jugar en tu casa —le dijo Sofía.

Como Hayley estaba molesta con ella, Sofía estaba totalmente convencida de que estaría más segura en casa de Eva.

☆　☆　☆

Hacía mucho tiempo que Sofía no iba a casa de Eva. La mayoría de las veces inventaba pretextos para no ir.

Eso no impedía que Eva la visitara; pero al menos ella no tenía que jugar al salón de belleza con los muñecos de peluche en el cuarto rosado estridente de Eva. O peor, a la Bella Durmiente. Ese era el juego favorito de Eva desde que había visto la película hacía unos meses.

Cuando llegaron a casa de Eva, las niñas entraron por la puerta del fondo.

—¡Mami! —dijo Eva—. ¡Ya llegué! Traje una cabeza reducida... ¡y a Sofía!

—¡Qué sorpresa! —respondió su mamá—. ¡Estoy con ustedes en un segundo!

Eva agarró a Sofía por la mano y la arrastró hasta la cocina.

Enseguida apareció la Sra. Fitzgibbon.

—¡Qué alegría verte! —le dijo a Sofía—. ¡Como has crecido!

Sofía la miró, y no pudo evitarlo.

—Usted también, Sra. Fitzgibbon —respondió. Era la verdad.

La mamá de Eva se agarró la barriga y se echó a reír.

—Va a tener un bebé, tonta —dijo Eva, también entre risas.

"¡Ah!"

—¿Tienen hambre? —preguntó la Sra. Fitzgibbon.

—¡Sí! —contestó Eva.

Sofía también dijo que sí, aunque sabía perfectamente bien cuál sería la merienda: vegetales. Esa era otra de las razones por las que no le gustaba jugar en la casa de Eva.

Por suerte, la Sra. Fitzgibbon no preguntó cómo les fue en la escuela porque si no Sofía hubiese tenido que responder con honestidad, y no quería.

La mamá de Eva llenó un plato con cosas verdes, y Sofía agarró un tallo de apio.

—¡Eh, eh! —dijo la Sra. Fitzgibbon moviendo el dedo—. ¿Ya se lavaron las manos?

Sofía hubiera querido decirle que sí, pero tenía que ser honesta. Entonces, caminó hasta el fregadero para lavárselas.

—¿Por qué no juegan un rato? —les preguntó la mamá de Eva a las niñas cuando terminaron de merendar. Tomó la cabeza reducida de Eva y añadió—: Voy a buscar un sitio para poner esta preciosa cabecita.

Eva llevó a Sofía de la mano hasta su cuarto, aunque Sofía no necesitaba ayuda para encontrarlo: era tan rosado que brillaba.

La niña caminó hasta un montón de disfraces, agarró un vestido rosado y se lo puso. Luego le dio a Sofía una espada, un sombrero de bruja y una varita mágica.

—Yo seré la Bella Durmiente —dijo Eva—. Y tú finge que eres cualquier otro personaje. ¿Está bien?

Sofía soltó la espada y el sombrero de bruja. (Prefería la varita mágica). Entonces, miró a Eva.

—No, no está bien. Quiero jugar a otra cosa —dijo honestamente—. Además, no puedo fingir.

—¿Por qué no? —preguntó Eva confundida.

—Fingir no es honesto —respondió Sofía con los brazos cruzados.

—Ah —dijo Eva—, entonces vamos a jugar al salón de belleza con los muñecos de peluche.

—Disculpa —dijo Sofía moviendo la cabeza—, pero si juego a eso, también estaré fingiendo.

La barbilla de Eva comenzó a temblar.

—¡Entonces no podemos jugar a nada! —dijo con un sollozo.

Al segundo ya estaba llorando y un líquido horrible comenzó a salir por su nariz.

—Está bien, está bien. ¡Fingiré! —dijo Sofía.

Eva respiró profundo y miró a Sofía. Ya no tenía lágrimas en los ojos y su barbilla había dejado de temblar.

—¿En serio? —dijo—. ¡Perfecto! Seré la Bella Durmiente y tú la bruja.

Sofía suspiró y asintió con la cabeza. Sabía perfectamente lo que sucedería.

Eva se pinchó un dedo y se desplomó en el suelo.

Un minuto después, Sofía le dio un codazo.

Sí. Eva estaba profundamente dormida. Lo mismo de siempre.

Sofía se acostó sobre el cubrecama rosado, encontró un caballito de peluche y lo abrazó con toda su fuerza. Trató de pensar en algo, cualquier cosa... en Puntillas, en las tareas de la escuela.

Pero no sirvió de nada. Lo único que le venía a la mente era su amiga Kate.

CAPÍTULO 9

Sofía tenía la esperanza de que el día siguiente fuera mejor. Pero comenzó muy mal.

Kate no le hizo caso en la parada, ni en el autobús, ni en el salón.

Así fue hasta que la Sra. Moffly preguntó:

—¿Quién tiene algo de lo que quiera hablar esta mañana?

Y Sofía levantó la mano y dijo la verdad:

—Yo.

Toby se echó a reír.

—¡La Charlatana! ¡Claro que quiere! —dijo.

Sofía le sacó la lengua. Dos veces.

Después, respiró profundo y comenzó:

—Me gustaría decir que el ser honesta no me convierte en mala persona. Y que soy una buena amiga, de verdad. Y que siento mucho, muchísimo, haber lastimado los sentimientos de los demás. ¡Ah! Y que no soy charlatana... ¡sino honesta! Eso es todo. Gracias.

Entonces Mindy levantó la mano para protestar.

—¿Por qué Sofía puede hablar de ella, Sra. Moffly? La última vez que quise hablar de mí, usted no me dejó.

—Muy buena pregunta —acotó Lily.

—Porque llevabas cinco días seguidos hablando de ti —señaló Mia.

—No es verdad —dijo Mindy.

—Mindy tiene razón —dijo Lily—. Lo que dices no es cierto. Fueron cuatro días, si acaso.

—¡Yo también quiero hablar de mí! —exclamó Archie—. ¡Quiero mostrarles cómo canto el himno eructando!

—Y yo quiero contarles sobre el programa que vi anoche por televisión —dijo Dean—. Estuvo buenísimo.

—¿Saben qué? —interrumpió la Sra. Moffly—. Creo que es hora de revisar la tarea.

Pero Sofía no escuchó nada de eso. Lo único que logró oír fue lo que dijo Kate: "¡Qué tonterías!".

¡Ufff! Y sintió como si algo le hubiera dado un pinchazo en el corazón. Se fijó si había sido el broche. Pero no.

"Recuerda, tu regla —se dijo a sí misma—. En la escuela no se llora. Pase lo que pase".

Pero lo cierto es que en este caso era difícil no llorar. Sofía extrañaba mucho a Kate.

Extrañó a su amiga cuando les pusieron una película sobre el sistema métrico. Sofía y Kate solían trenzarse el cabello mientras veían películas. Especialmente cuando eran tan aburridas como esa. Pero esta vez, Kate no compartió ni un centímetro de su cabello.

También la extrañó en el gimnasio, cuando jugaron a "Parejas por siempre".

—¡Busquen a su pareja! —gritó el Sr. Hurley, el profesor de educación física.

Sofía miró a su alrededor; nunca había tenido que buscar pareja. Kate y ella siempre estaban juntas.

A su lado estaba Ben, el chico más agradable de su clase. Se volteó y suspiró.

—¿Quieres ser mi pareja? —le preguntó.

—Por supuesto, Sofía —dijo él—, pero debo advertirte que...

En ese momento, el Sr. Hurley sonó su silbato y gritó:

—¡A comenzar!

Sofía empezó a correr.

—¡Corre! ¡Corre! —le gritó a Ben.

El juego era sencillo: había que tocar a todos los participantes excepto a la pareja. Si te tocaban a ti, tenías que sentarte. Solo tu pareja podía liberarte al tocarte.

Si los dos miembros de la pareja eran tocados a la vez, solo había una manera de reincorporarse al juego. Se tenían que buscar el uno al otro con la vista y levantar ambos los pulgares para liberarse.

Sofía vio que a Ben lo habían tocado, pero Toby la tocó antes de que pudiera ir a liberarlo.

Se sentó y comenzó a mover la mano tratando de llamar la atención de Ben... Y movió la mano... y la movió más fuerte... hasta que se dio cuenta de algo: Ben no tenía puestos sus espejuelos.

Sofía suspiró. Él no la veía... ¡y así nunca iban a poder levantar los pulgares! Miró a los otros chicos corriendo alrededor, y permaneció sentada durante la media hora restante.

Llegó la hora de almorzar. Sofía sabía que iba a extrañar a Kate. Y así fue.

También la extrañó en el salón. ¡Aunque estaba sentada a su lado!

—Sydney, ¿podrías decirle a Sofía que me preste el lápiz azul, por favor? —dijo Kate.

Estaban sentadas en su mesa, como siempre, utilizando sus instrumentos de medir.

—¡Eh! —dijo Sydney sorprendida—. ¿Y por qué no se lo pides tú?

—Porque yo no le hablo —respondió Kate, así de simple.

—¡Oh! —asintió Sydney, y miró de reojo a Grace—. Humm... Sofía, dice Kate que le prestes el lápiz azul.

Sofía miró el lápiz azul que tenía en la mano. ¡Honestamente, no soportaba que Kate estuviera tan enojada con ella!

—Dile a Kate que si le hace tanta falta, me lo pida a mí —respondió Sofía.

Kate puso los ojos en blanco y agarró un lápiz verde de la caja.

—No importa. No me hace falta. Dile que se quede con él —dijo Kate.

Sydney miró a Sofía.

—Dice Kate que no importa, que te puedes...

—¡Ya la oí! —dijo Sofía, arrojando el lápiz azul en la caja.

☆　　☆　　☆

Al final del día, Sofía estaba segura de algo: en sus ocho años, ese había sido el peor día de su vida.

Le dieron deseos de llamar a su mamá para que fuera a recogerla. Al menos así se evitaría el viaje en autobús. Sofía no sabía qué era peor: que Kate no le hablara en todo el camino o que Eva le hablara demasiado.

Subió al autobús y ahí estaba Hayley esperándola. Trató de esquivarla, pero su hermana la descubrió.

—¡Tú! —gritó Hayley.

Sofía suspiró. ¡De nuevo!

CAPÍTULO 10

Sofía quiso salir corriendo, pero era demasiado tarde; había una fila de chicos detrás de ella.

—¡Vamos! ¡Siéntense! —dijo la Sra. Blatt, la conductora del autobús.

Sofía se dejó caer en el asiento de al lado de Hayley. Se aclaró la garganta una y otra vez .

—Mira, Hayley. Ya sé que te arruiné la vida, y de verdad que lo siento muchísimo. Pero si esto te hace sentir mejor, mi vida también está arruinada —dijo Sofía mirando hacia abajo.

En ese momento, por debajo de los asientos,

apareció la cabeza de Eva, que había ido gateando hasta llegar a Sofía.

—¡Hola, Sofía! Te encontré —dijo.

"¡Genial!"

Sofía se hundió en el asiento.

—¿Qué pasó? —preguntó Eva.

—Exacto, ¿qué pasó? ¿Quién dijo que arruinaste mi vida? —dijo Hayley.

Sofía miró a su hermana.

—Tú misma lo dijiste.

—¿Yo? —se volteó hacia Kim y dijo entre risas—: Pues retiro lo dicho. ¿Sabes por qué? Cuando Sam se enteró de que me gustaba, ¡confesó que yo también le gusto a él!

Hayley levantó la mano para mostrarle un papel que había sido doblado con demasiado cuidado.

—¡Todo está escrito en esta nota! —dijo—. Así que en realidad, lo que hiciste fue arreglarme la vida. ¡Gracias, Sofía!

¡Guau!

Eso era algo que Sofía jamás hubiera imaginado escuchar de boca de su hermana. Hayley casi nunca le daba las gracias... y mucho menos delante de Kim.

Sintió una sensación en su interior, como cuando el cielo está muy nublado y de pronto sale un radiante sol.

¡Sofía la Honesta había mejorado el mundo! Sus hombros se sintieron un poco más ligeros y los ojos ya no le ardían tanto.

Luego Kate subió al autobús. Le pasó por al lado sin decir ni una palabra y se sentó lo más lejos que pudo.

El autobús arrancó y el corazón de Sofía latió más fuerte. Otra sensación volvió a estremecerla, como cuando las nubes regresan y comienza a llover a cántaros.

¿Qué tal si el mundo era mejor solamente para Hayley? Para ella era cada vez peor. Honestamente, no tenía gracia ser Sofía la Honesta y estar sola.

Aunque en realidad no estaba sola: Eva estaba a su lado.

La niña agarró a Sofía por el brazo y se lo sacudió.

—¿Puedes venir a jugar otra vez hoy? —preguntó.

Sofía suspiró. Sí, podía. Y como era Sofía la Honesta eso era lo que debía responder. Pero la verdad era que simplemente no quería ir.

Entonces, de repente, a Sofía se le ocurrió algo en lo que nunca antes había pensado. *¡Bum!* Ella había sido honesta con todos... pero se había estado mintiendo a sí misma.

¡Lo cierto es que realmente ya no *quería* ser más Sofía la Honesta!

Ni quería pasar todo el tiempo respondiendo preguntas.

Tampoco quería dejar de fingir por el resto de su vida.

No quería tener que revelar secretos; o por lo menos los que había prometido no revelar.

No quería lastimar los sentimientos de los demás. ¡No había nada peor que eso!

Y lo que más deseaba, más que cualquier otra cosa, era volver a ser la mejor amiga de Kate.

—¿Entonces? —preguntó Eva—. ¿Puedes venir a jugar? ¿Eh?

Sofía la miró y movió la cabeza.

—No. Lo siento, Eva. Hoy no puedo jugar —respondió—. Tengo algo importante que hacer.

Y esa no era ninguna mentira. Era la pura verdad.

☆　☆　☆

Cuando el autobús llegó a su parada, Sofía se bajó. Pero no fue a su casa.

Se despidió de Eva y les dijo adiós a Hayley y Kim. Entonces se quedó en la acera esperando a Kate.

En cuanto Kate la vio, frunció el ceño y siguió su rumbo sin decir ni una palabra. Pero Sofía se había imaginado que eso iba a suceder, por eso corrió tras ella.

—¡Kate! ¡Espérame! Tengo algo que decirte —gritó.

Kate se detuvo y se volteó con los brazos cruzados.

—Dime.

Sofía respiró profundo. Tenía tantas cosas que decirle a su amiga que no sabía por dónde empezar.

—Quería pedirte disculpas, Kate. De verdad lo siento mucho. Y no te lo digo solamente porque quiero ir contigo a montar caballo, aunque ese ha sido siempre el sueño de mi vida. Pero siento haber sido una chismosa. No fue mi intención haber incomodado o herido los sentimientos de los demás. Y no dejaré que eso vuelva a suceder. Puedes confiar en mí. Te lo juro. Tú eres mi mejor amiga... ¡la mejor amiga del mundo! ¡Honestamente!

El rostro de Kate parecía de piedra hasta ese momento, pero de pronto comenzó a sonreírse.

¡Sí! Sofía podía sentirlo. ¡Otra vez serían amigas!

—¿Con la mano en el corazón, Sofía la Honesta? —preguntó Kate.

Sofía sonrió tocándose el corazón una y otra vez.

Entonces abrió los brazos, igual que Kate, y se dieron un enorme abrazo.

¡Ayy!

Sofía dio un salto atrás; en esta ocasión su broche la había pinchado.

Sofía lo guardó en la mochila y suspiró aliviada. Después se mordió el labio:

—Honestamente, Kate, no sé si *yo* soy Sofía la Honesta —dijo.

—Bueno, todavía tienes la opción de ser Sofía la Charlatana —bromeó Kate.

—¡Gracias, pero no! —dijo Sofía poniendo los ojos en blanco.

—¿Y entonces cuál? —preguntó Kate.

Sofía se encogió de hombros. Quería un nombre espectacular, pero todavía no sabía cuál. Ya se le ocurriría algo. Lo que más le importaba en ese momento era que su mejor amiga ya estaba de vuelta.

(Y que ya no tenía que contarles a los adultos cómo le había ido en la escuela).

Entonces se acordó de las otras chicas de su clase que aún estaban molestas.

Pero Kate le contó algo que la hizo sentir mucho mejor. Le había pedido a la Sra. Belle que le preguntara a su hija si podía invitar más amigas a la finca.

Y ella dijo que sí. Todas podrían ir. ¡Incluyendo a Sofía!

(Y con suerte, todas la perdonarían por las cosas que dijo).

Sofía se sintió mucho mejor. Pateó una roca y observó como rebotaba a lo lejos. Fue entonces cuando lo vio...

Estaba en la hierba. ¿Era un dólar?

Sofía se acercó un poco más.

¡Sí! ¡Eso era!

O no. ¡Tenía un número cinco!

¡Un billete de cinco dólares! Sofía nunca se había encontrado uno de esos.

Se inclinó a recogerlo y entonces vio un cero. ¡Un cinco y un cero!

—¡Mira, Kate! —dijo levantando el billete—. ¡Cincuenta dólares! ¡Soy rica!

Sofía y Kate se miraron fijamente.

—¿Estás pensando lo mismo que yo? —preguntó Sofía.

—¡Creo que sí! —dijo Kate.

¡Sofía la Rica! ¡Ese sí que era un buen nombre!

No, espera: ¡Sofía la *Millonaria*!

¡Sí! ¡Ese estaba mucho mejor!